150 *Questions*

SUR LES

CHATS

Les Éditions
Goélette

Couverture : Katia Senay
Graphisme : Katia Senay et Chantal Morisset
Recherche : Jenny de Jonquières

© 2012, Les Éditions Goélette inc.
1350, Marie-Victorin
Saint-Bruno-de-Montarville (Québec) J3V 6B9
Téléphone : 450-653-1337
Télécopieur : 450-653-9924
www.editionsgoelette.com
www.facebook.com/EditionsGoelette

Dépôts légaux : Troisième trimestre 2012
Bibliothèque et Archives nationales du Québec
Bibliothèque nationale du Canada

Imprimé au Canada

ISBN : 978-2-89690-414-3

CHATS

Question 1

De quelle couleur est la truffe de Grosminet?

- ◯ **De couleur rouge**

- ◯ **De couleur noire**

- ◯ **De couleur beige**

Question 2

Quel record détient le chat Daniel?

- ◯ **Il a une langue de 6 pouces**

- ◯ **Il a 4 queues**

- ◯ **Il a 26 orteils**

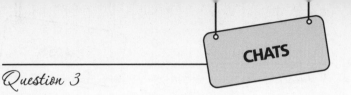

Question 3

Quelle est la race de chat qui résulte
du croisement entre un chat domestique
et un chat léopard du Bengale ?

○ **Le croisé léopard**

○ **Le balinais**

○ **Le bengal**

Question 4

Quel est l'autre nom donné au chat des sables ?

○ **Le chat du désert**

○ **Le chat du Sud**

○ **Le chat d'Égypte**

Question 5

De quelle couleur sont les yeux des chats de la race bleu russe?

○ **De couleur bleue**

○ **De couleur verte**

○ **De couleur noire**

Question 6

De quel type de chat est le chat à pattes noires?

○ **Un chat domestique**

○ **Un chat sauvage des montagnes**

○ **Un chat sauvage des milieux arides**

Question 7

Lequel de ces chats vit dans les marécages asiatiques ?

- ◯ **Le chat aux longues moustaches**

- ◯ **Le chat à tête plate**

- ◯ **Le chat aux pattes rayées**

Question 8

Quelle est la particularité du chat à tête plate ?

- ◯ **Ses pattes sont palmées**

- ◯ **Il respire sous l'eau**

- ◯ **Il a une queue de castor**

Question 9

Où trouve-t-on le chat de Temminck ?

- ◯ **En Amérique du Sud**
- ◯ **En Asie**
- ◯ **En Europe**

Question 10

Quel est le poids du chat des Andes ?

- ◯ **Entre 6 et 17 lb**
- ◯ **Entre 12 à 23 lb**
- ◯ **Entre 18 à 29 lb**

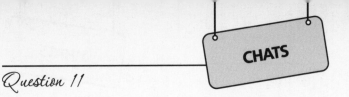
Question 11

Quel est l'autre nom du chat des pampas?

○ **Patata**

○ **Mamama**

○ **Colocolo**

Question 12

De quel pays est originaire le chat de Ceylan?

○ **De l'Inde**

○ **Du Bangladesh**

○ **Du Sri Lanka**

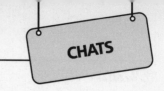

Question 13

Quelle est la race de chat qui est originaire
des États-Unis et qui est similaire au persan ?

( ) **Le neige de l'Himalaya**

( ) **L'Himalayen**

( ) **Le persan des neiges**

Question 14

Quelle est la race de chat, originaire des États-Unis,
qui a des poils mi-longs et qui descend du siamois ?

( ) **Le mandarin**

( ) **L'oriental**

( ) **Le thaïlandais**

Question 15

Où rencontre-t-on souvent le chat viverrin ?

○ En Afrique et en Australie

○ En Chine et en Inde

○ En Chine et en Afrique

Question 16

D'où est originaire le chat siamois ?

○ Du Mexique

○ Des États-Unis

○ De la Thaïlande

Question 17

Lequel de ces chats n'a pas de fourrure?

( ) **Le bengal**

( ) **Le minskin**

( ) **Le chat de Biet**

Question 18

De quel félin africain la race Savannah est-elle proche?

( ) **Le guépard**

( ) **Le léopard**

( ) **Le serval**

Question 19

Combien d'os compte le squelette d'un chat?

(◯ **250**)

(◯ **330**)

(◯ **400**)

Question 20

Combien de temps dure le transit digestif d'un chat?

(◯ **De 6 à 8 heures**)

(◯ **De 8 à 10 heures**)

(◯ **De 12 à 14 heures**)

Question 21

Sauf exception, quel est le nombre de couleurs maximal qu'un chat mâle peut avoir à la fois dans sa fourrure?

- ○ 1
- ○ 2
- ○ 3

Question 22

Comment appelle-t-on la robe d'une chatte qui a trois couleurs, dont du blanc?

- ○ **Une robe calico**
- ○ **Une robe cameco**
- ○ **Une robe camel**

CHATS

Question 23

Qu'est-ce qui cause la surdité chez 60 %
des chats blancs aux yeux bleus ?

○ **Le gène responsable de l'absence
de pigments dans le poil**

○ **Le gène responsable de la coloration
des yeux**

○ **La sensibilité des moustaches**

Question 24

Quel est le champ de vision total d'un chat ?

○ **220 degrés**

○ **290 degrés**

○ **360 degrés**

CHATS

Question 25

Laquelle de ces couleurs n'est pas une couleur naturelle pour les yeux chez les chats?

( ) **La couleur verte**

( ) **La couleur rouge**

( ) **La couleur jaune**

Question 26

Combien de terminaux olfactifs un chat possède-t-il?

( ) **Des centaines**

( ) **Des milliers**

( ) **Des millions**

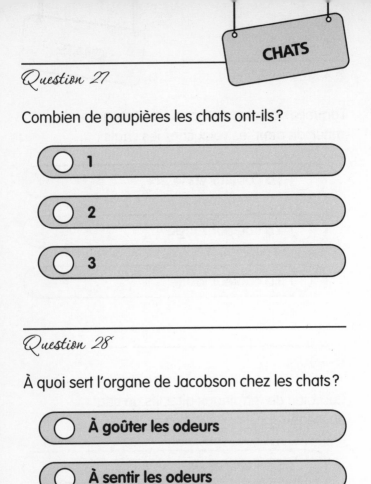

Question 27

Combien de paupières les chats ont-ils ?

○ 1

○ 2

○ 3

Question 28

À quoi sert l'organe de Jacobson chez les chats ?

○ À goûter les odeurs

○ À sentir les odeurs

○ À digérer

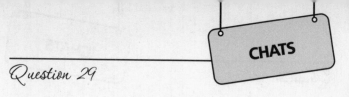

Question 29

Comment les chats communiquent-ils principalement entre eux?

○ **Par les ronronnements**

○ **Par les phéromones**

○ **Par le miaulement**

Question 30

Lequel de ces chats miaule plus que les autres?

○ **Le siamois**

○ **Le persan**

○ **Le chat de gouttière**

Question 31

De combien d'heures de sommeil le chat
a-t-il besoin par jour?

○ **De 6 à 10 heures**

○ **De 12 à 16 heures**

○ **De 16 à 22 heures**

Question 32

Quand est-ce que le chat grogne?

○ **Quand il se bat**

○ **Quand il mange**

○ **Quand il dort**

Question 33

À quoi est due l'allergie aux chats?

○ **À son haleine**

○ **À son poil**

○ **À sa salive**

Question 34

Qu'est-ce qu'on appelle les trichobézoards?

○ **L'appareil digestif du chat**

○ **Les trois couleurs d'un pelage de chat**

○ **Les boules de poils accumulées dans l'estomac**

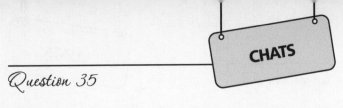

Question 35

Que fait le chat pour tuer sa proie quand il chasse ?

◯ **Il le griffe**

◯ **Il lui mord la nuque**

◯ **Il fait le mort**

Question 36

Parmi ces animaux, lequel est une proie du chat ?

◯ **Le hérisson**

◯ **Le lézard**

◯ **La tortue**

Question 37

À quel âge les fonctions reproductrices du chat mâle se développent-elles ?

- ◯ À 3 mois

- ◯ À 5 mois

- ◯ À 7 mois

Question 38

À quel âge le chat mâle peut-il se reproduire ?

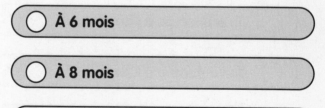

- ◯ À 6 mois

- ◯ À 8 mois

- ◯ À 10 mois

Question 39

À quel moment, la femelle peut-elle se reproduire?

○ **Dès ses premières chaleurs**

○ **Dès son premier été**

○ **Dès qu'elle a 16 mois**

Question 40

À quel moment dans l'année les chaleurs
de la femelle surviennent-t-elles?

○ **Du printemps à l'automne**

○ **De l'automne à l'hiver**

○ **De l'été à l'automne**

Question 41

Combien de temps dure la gestation des chattes ?

( ) **De 15 à 17 jours**

( ) **De 33 à 35 jours**

( ) **De 63 à 65 jours**

Question 42

Combien de temps dure l'accouplement
des chats ?

( ) **De 5 à 15 secondes**

( ) **De 5 à 15 minutes**

( ) **De 30 à 45 minutes**

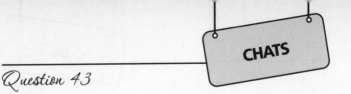

Question 43

Quel est le poids approximatif d'un chaton lorsqu'il naît ?

( ) **0,3 lb**

( ) **0,7 lb**

( ) **1 lb**

Question 44

Lequel de ces handicaps le chaton a-t-il à sa naissance ?

( ) **La perte des poils**

( ) **La surdité**

( ) **La paralysie des jambes**

Question 45

Après combien de minutes de contraction la chatte met-elle son premier chaton au monde ?

◯ Environ 5 minutes

◯ Environ 20 minutes

◯ Environ 45 minutes

Question 46

À quel âge environ le chaton ouvre-t-il les yeux ?

◯ À 4 jours

◯ À 10 jours

◯ À 23 jours

Question 47

De quelle couleur sont les yeux d'un chaton
à sa naissance?

- ( ) **De couleur bleue**

- ( ) **De couleur verte**

- ( ) **De couleur brune**

Question 48

Laquelle de ces méthodes n'est pas utilisée
pour bloquer le cycle de reproduction
de la femelle et faire disparaître les chaleurs?

- ( ) **Une injection**

- ( ) **Une pilule contraceptive**

- ( ) **Un stérilet**

Question 49

Comment appelle-t-on la stérilisation du mâle?

○ **La scission**

○ **L'ablation**

○ **La castration**

Question 50

Qu'est-ce que les maladies zoonoses chez un chat?

○ **Des maladies mortelles**

○ **Des maladies qui font perdre le poil**

○ **Des maladies transmissibles à l'homme**

Question 51

Laquelle de ces maladies n'est pas courante chez le chat ?

( ) **La toxoplasmose**

( ) **La leucémie**

( ) **La pasteurellose**

Question 52

Quelle est la longévité d'un chat domestique ?

( ) **De 8 à 12 ans**

( ) **De 14 à 18 ans**

( ) **De 20 à 24 ans**

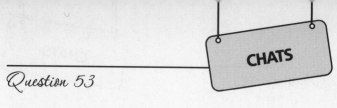

Question 53

À quel âge est mort le plus vieux chat jamais enregistré?

○ À 24 ans et 2 mois

○ À 30 ans et 5 mois

○ À 38 ans et 3 jours

Question 54

À quand les premières découvertes paléontologiques du chat situent-elles les premiers foyers de domestication du chat?

○ Vers 15 000 à 10 000 av. J.-C.

○ Vers 9000 à 2000 av. J.-C.

○ Vers l'an 0

Question 55

Chez les Égyptiens, le chat était-il domestique ou sauvage ?

○ **Domestique**

○ **Sauvage**

○ **Les deux**

Question 56

Quelle déesse nordique est tirée par des chats alors qu'elle est dans son char ?

○ **Éphon**

○ **Freyja**

○ **Gasta**

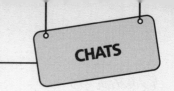

Question 57

Comment se nomme la divinité ressemblant
à un chat en Égypte Antique ?

○ Isis

○ Bubatis

○ Bastet

Question 58

Que symbolise la divinité ressemblant à un chat
en Égypte Antique ?

○ La maternité, la musique et la joie

○ Le culte funéraire

○ L'origine des temps et l'humanité

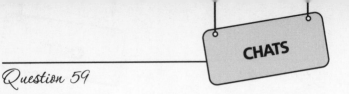

Question 59

Parmi ces choix, que trouvait-on dans
la Grèce antique?

○ **Des cimetières de chats**

○ **Des cirques de chats**

○ **Un marché aux chats**

Question 60

Lequel de ces peuples anciens possédait
des chats en tant qu'animaux domestiques?

○ **Les Romains**

○ **Les Aztèques**

○ **Les Mongols**

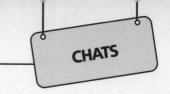

Question 61

Au Moyen Âge, quelle partie du chat était exploitée?

⊙ **Ses griffes**

⊙ **Ses pattes**

⊙ **Sa fourrure**

Question 62

Qu'est-ce qui explique que le chat était satanisé dans l'Europe chrétienne durant le Moyen Âge?

⊙ **La chasse nocturne qui effrayait les animaux des fermes**

⊙ **Le reflet de la lumière dans ses yeux qui passait pour les flammes de l'Enfer**

⊙ **La couleur noire du pelage associée aux sorcières**

Question 63

Dans la symbolique médiévale, à quoi était associé le chat ?

○ **Au mal**

○ **Au bien**

○ **À la maladie**

Question 64

De quelle époque vient l'idée que le chat possède neuf vies ?

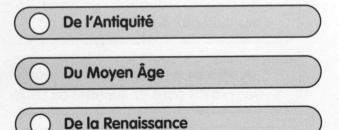

○ **De l'Antiquité**

○ **Du Moyen Âge**

○ **De la Renaissance**

CHATS

Question 65

Qui a été sauvé de la morsure d'un serpent par un chat ?

○ **Moïse**

○ **Krishna Murti**

○ **Mohammed**

Question 66

Pendant la Renaissance, qu'est-ce que Catherine de Portugal a offert en cadeau à Charles Quint ?

○ **Un chat persan**

○ **Deux petits chats brésiliens**

○ **Quatre chats siamois**

Question 67

Qui a écrit la célèbre *Histoire des Chats* en 1727 ?

- ○ **François-Augustin de Paradis de Moncrif**

- ○ **Étienne de la Rochefoucauld**

- ○ **Jean-Henri Dutour**

Question 68

Quelle race de chat le cardinal Richelieu possédait-il ?

- ○ **Un chartreux**

- ○ **Un siamois**

- ○ **Un angora**

Question 69

Quelle race de chat Louis XV possédait-il?

( ) **Un persan blanc**

( ) **Un norvégien noir**

( ) **Un bleu russe**

Question 70

Pourquoi le chat associé aux sorcières
a-t-il neuf vies?

( ) **Parce que les sorcières ressuscitent**

( ) **Parce que les sorcières pouvaient
se changer en chat neuf fois**

( ) **Parce que la légende est issue d'un
récit dans le livre des sorcières**

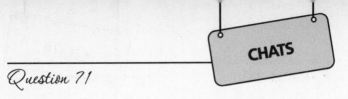

Question 71

Quelle entité le chat représentait-il en Europe, au Moyen Âge ?

( ) **Le diable**

( ) **Le roi**

( ) **Dieu**

Question 72

Au XIXe siècle, le chat est devenu le symbole de quel mouvement ?

( ) **Le mouvement royaliste**

( ) **Le mouvement anarchiste**

( ) **Le mouvement religieux**

Question 73

Comment se nomme le chat acteur qui a joué
dans le film de 1961 *Diamants sur canapé*?

○ **Orangey**

○ **Mani**

○ **Salem**

Question 74

Que représente le chat au Japon?

○ **Un mauvais présage**

○ **Un esprit zen**

○ **Un porte-bonheur**

Question 75

Quelle est la fin de cette expression :
« Jeter le chat aux jambes… » ?

○ De quelqu'un

○ D'un inconnu

○ De sa mère

Question 76

Quelle est la fin de cette expression :
« Cela ferait pisser un chat… » ?

○ Dans les airs

○ Par les yeux

○ Par la patte

CHATS

Question 77

Lequel de ces proverbes souligne qu'il faut éviter de réactiver une source de danger?

○ Il ne faut pas tirer la queue du chat lorsqu'il mange

○ Il ne faut pas réveiller le chat qui dort

○ Il ne faut pas vendre la peau du chat avant de l'avoir tué

Question 78

Qu'est-ce qu'un Maneki-Neko?

○ Un talisman représentant un chat

○ Un vase décoré de chats peinturés

○ Une tasse en forme de chat

Question 79

Pour les Thaïlandais, qu'est-ce que le chat annonce?

( ) **La fin des temps**

( ) **Le temps**

( ) **L'heure**

Question 80

Comment s'appelait le chat de Samuel Johnson?

( ) **Clovis**

( ) **Hodge**

( ) **Navy**

Question 81

Comment s'appelait le chat de l'écrivain Théophile Gauthier?

- ( ) **Emeline**

- ( ) **Amandine**

- ( ) **Eponine**

Question 82

Quel écrivain célèbre a écrit le roman *La chatte*?

- ( ) **Colette**

- ( ) **Balzac**

- ( ) **Proust**

CHATS

Comment se nomme le chat capable
de détecter la mort imminente des patients
d'une unité hospitalière du Rhode Island ?

○ **Filis**

○ **Paty**

○ **Oscar**

Quelle mère a perdu son chat ?

○ **La mère Michel**

○ **La mère Denis**

○ **La mère Françoise**

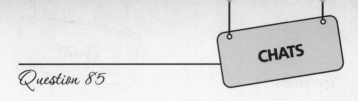

Question 85

Quelle chanson de Queen est un hommage
au chat de Freddy Mercury ?

○ *Delilah*

○ *Dalia*

○ *Demina*

Question 86

Combien de chats Georges Brassens possédait-il
lorsqu'il vivait dans l'Impasse Florimont ?

○ 4

○ 9

○ 12

Question 87

Quel est l'ouvrage le plus célèbre portant sur les chats à être paru en 1995 ?

◯ **L'histoire des chats du monde**

◯ **Le mystère des chats peintres**

◯ **À la plage avec mon chat**

Question 88

Quel est la fin de ce proverbe : « Qui court vite, dort beaucoup et chasse… » ?

◯ **Les souris**

◯ **La vermine**

◯ **Les poules**

Question 89

Dans le proverbe, quel organe du chat a-t-on ?

◯ **Les moustaches**

◯ **Les pattes**

◯ **Les yeux**

Question 90

Quelle industrie désire exploiter la fourrure du chat ?

◯ **La mode**

◯ **L'agriculture**

◯ **La construction**

Question 91

La fourrure du chat est-elle interdite
à l'importation et à l'exportation en Europe?

○ **Oui**

○ **Oui, mais seulement pour celle
du chat à la robe tricolore**

○ **Non**

Question 92

Comment a-t-on nommé le premier félin?

○ **Proailurus**

○ **Tireda**

○ **Onurus**

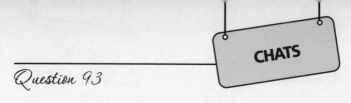

Question 93

En France, combien y a-t-il approximativement de chats domestiques?

- ○ **500 000**
- ○ **2 millions**
- ○ **9 millions**

Question 94

En Égypte ancienne, quelle sentence attendait un tueur de chat?

- ○ **La prison à vie**
- ○ **L'amputation d'un membre**
- ○ **La peine de mort**

Question 95

À quoi servent les vibrisses chez le chat?

○ **À nettoyer son poil**

○ **À détecter des changements dans l'air**

○ **À respirer**

Question 96

Qu'est-ce que le « siècle des Aristochats »?

○ **Une importante arrivée des chats de gouttière en Europe**

○ **L'entrée des chats comme animal de compagnie dans l'aristocratie**

○ **La propagation d'une nouvelle race de chats pure en Angleterre**

Question 97

Au Moyen Âge, quelle conséquence avait l'extermination des chats ?

○ **Elle aggravait les épidémies de peste noire**

○ **Elle faisait fuir les habitants des villes**

○ **Elle empêchait le développement de nouvelles races**

Question 98

Quel roi français a été un passionné des chats ?

○ **Louis XV**

○ **Henri IV**

○ **Napoléon**

Question 99

Quel film, produit par Walt Disney en 1965,
met en scène un chat?

○ *Cat forever*

○ *That Darn Cat!*

○ *Mymy the cat*

Question 100

Dans la série Batman, comment appelle-t-on
la femme qui se prend pour un chat?

○ **Catpower**

○ **Kitty**

○ **Catwoman**

Question 101

Dans les dessins animés, quel chat noir et blanc, presque centenaire, est taquin et joueur?

◯ **Félix le chat**

◯ **Alix le chat**

◯ **André le chat**

Question 102

Quelle est la fin de ce proverbe: «Quand le chat n'est pas là, les souris…»?

◯ **Mangent**

◯ **Dansent**

◯ **Sortent**

Question 103

Quelle est la fin de ce proverbe : « La nuit, tous les chats sont… » ?

○ **Noirs**

○ **Gris**

○ **Sombres**

Question 104

Quelle est la fin de ce proverbe : « À mauvais chat, mauvais… » ?

○ **Rat**

○ **Pas**

○ **Gars**

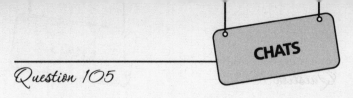

Question 105

Quelle est la fin de ce proverbe : « Chat échaudé craint… » ?

○ L'eau chaude

○ L'eau froide

○ L'hiver

Question 106

Quelle est la fin de ce proverbe : « Ne faites pas confiance au chat quand il y a… » ?

○ Du poisson au menu

○ Des souris dans la cave

○ Des poils dans la soupe

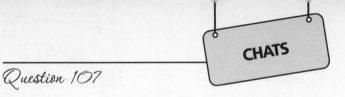

Question 107

Quelle est la fin de ce proverbe : « Le chat aime manger le poisson, mais pas… » ?

( ) **Le cuisiner**

( ) **Le trouver**

( ) **Le pêcher**

Question 108

Quelle est la fin de cette expression : « Avoir un chat… » ?

( ) **Dans les pattes**

( ) **Dans la gorge**

( ) **Dans le ventre**

Question 109

Quelle est la fin de cette expression :
«Avoir d'autres chats à…»?

◯ **Fouetter**

◯ **Nourrir**

◯ **Acheter**

Question 110

Laquelle de ces expressions connote des
relations tendues?

◯ **Naître comme chien et chat**

◯ **Paraître comme chien et chat**

◯ **Être comme chien et chat**

Question 111

Qui est l'auteur de l'œuvre littéraire *Le chat noir*, où un chat noir terrorise un homme?

○ **Edgar Allan Poe**

○ **Stephen King**

○ **Bram Stoker**

Question 112

Dans la série de roman Félidés, qui est Francis?

○ **Un chat jardinier**

○ **Un chat détective**

○ **Un chat sorcier**

Question 113

Quel est le plat préféré de Garfield ?

( ) **Les pizzas**

( ) **Les lasagnes**

( ) **Les hamburgers**

Question 114

Quel est l'autre nom donné au chat viverrin ?

( ) **Le chat pêcheur**

( ) **Le chat de mer**

( ) **Le chat des rivières**

Question 115

Quelle est la race de chat, venant de Scandinavie, qui a de longs poils et un double pelage ?

○ **Le chat suédois**

○ **Le chat allemand**

○ **Le chat norvégien**

Question 116

Laquelle de ces races de chats vit dans les forêts tropicales humides ?

○ **Le siamois**

○ **Le chat rayé rouge**

○ **Le chat marbré**

Question 117

Quelle race de chat, originaire des îles Britanniques, est caractérisée par son absence de queue ?

○ **Le manx**

○ **Le mau**

○ **Le minskin**

Question 118

Quel jour de la semaine Garfield déteste-t-il ?

○ **Le lundi**

○ **Le jeudi**

○ **Le dimanche**

Question 119

Dans les bandes dessinées, qui est le chat gris, aux oreilles pointues et au gros nez, toujours vêtu d'un costume?

- ○ **Isidor**

- ○ **Oscar**

- ○ **Le Chat de Geluck**

Question 120

Quel est l'autre nom de Grosminet?

- ○ **Stanley**

- ○ **Silvestre**

- ○ **Steven**

Question 121

Quel chat se chamaille avec Jerry dans les dessins animés ?

○ **Tom**

○ **André**

○ **Pat**

Question 122

Dans les dessins animés, qui accompagne Pif ?

○ **Roger**

○ **Hercule**

○ **Luna**

Question 123

Dans *Les Schtroumpfs*, comment s'appelle le chat de Gargamel?

○ **Azraël**

○ **Idéfix**

○ **Antoine**

Question 124

En peinture, le chat est souvent représenté dans une cuisine. Quel rôle y joue-t-il?

○ **Le voleur**

○ **Le cuisinier**

○ **Le goûteur**

Question 125

Dans laquelle de ces peintures apparaît un chat ?

○ *La chambre à coucher de l'artiste en Arles*

○ *Le radeau de la méduse*

○ *Le portrait de Magdaleine Pinceloup de La Grange*

Question 126

Lequel de ces artistes a déjà sculpté des chats ?

○ **Diego Giacometti**

○ **André Renard**

○ **Louis Brachet**

Question 127

Lequel des ces peintres a bâti sa notoriété en représentant des chats?

- ○ **Jean Dont**

- ○ **Léon Huber**

- ○ **Paul Klee**

Question 128

Dans l'art japonais, lequel de ces artistes n'a pas mis en scène des chats?

- ○ **Hokusai**

- ○ **Hiroshige**

- ○ **Nozan**

Question 129

Dans quel roman français se trouve
le personnage de Tibert le chat?

○ **Les Misérables**

○ **Le Roman de Renart**

○ **Madame Bovary**

Question 130

Quelle est la particularité du chat de Cheshire
dans *Alice au pays des merveilles*?

○ **Il peut disparaître**

○ **Il peut sourire jusque derrière la tête**

○ **Il peut se transformer en roche**

Question 131

De quel livre Raminagrobis, un chat gras et bien nourri, est l'un des personnages?

◯ *Les Mille et une Nuits*

◯ *Les Fables de La Fontaine*

◯ **La Bible**

Question 132

Qui est l'auteur des *Contes du chat perché*?

◯ **Jean Giono**

◯ **Louis Hémon**

◯ **Marcel Aymé**

Question 133

Dans quelle histoire un vieux meunier lègue-t-il un chat à son troisième fils ?

○ **Le Chat botté**

○ **Le Chat de Strasbourg**

○ **Aladin ou la lampe merveilleuse**

Question 134

Quel est l'autre nom utilisé pour parler des coussinets ?

○ **Pelotes**

○ **Gants**

○ **Coussins**

Question 135

Quelle est la taille moyenne de la queue
d'un chat?

○ **De 5 à 7 pouces**

○ **De 8 à 10 pouces**

○ **De 12 à 14 pouces**

Question 136

Quelle comédie musicale à succès met en scène
des personnages de chats?

○ *Les chats de Notre-Dame*

○ *Cats*

○ *Catsmania*

Question 137

Comment s'appelait le premier chat envoyé
dans l'espace en 1963 ?

- ◯ **Félicette**

- ◯ **Georgette**

- ◯ **Ivory**

Question 138

Comment s'appelait la chatte favorite
du prophète Mohammed ?

- ◯ **Noala**

- ◯ **Myriam**

- ◯ **Muezza**

Question 139

Comment s'appelait le célèbre chat
de Bill Clinton?

○ **Suza**

○ **Socks**

○ **Sissi**

Question 140

Chanone a été la chatte de quel écrivain
français?

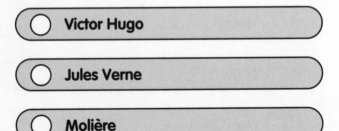

○ **Victor Hugo**

○ **Jules Verne**

○ **Molière**

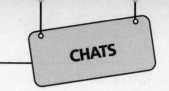

Question 141

Comment s'appelle le chat fictif dans le dessin animé *Les Simpsons*?

○ **Scratchy**

○ **Peny**

○ **Spencer**

Question 142

Comment s'appelle le chat dans le film d'animation *Cendrillon*?

○ **Minou**

○ **Lucifer**

○ **Charlie**

Question 143

Comment s'appelle le chat dans le film
d'animation *Volt* de Disney/Pixar?

( ) **Mittens**

( ) **Thug**

( ) **Tom**

Question 144

Comment s'appelle le chat dans la série télévisée
américaine Alf?

( ) **Lance**

( ) **Lucky**

( ) **Spot**

Question 145

Comment s'appelle le chat d'Hermione
dans la série Harry Potter?

○ **Croûtard**

○ **Trevor**

○ **Pattenrond**

Question 146

Comment s'appelle le chat dans le film
Petit Stuart?

○ **Snowbell**

○ **Blackbell**

○ **Bluebell**

Question 147

Où trouve-t-on les chats des Andes ?

- ( ) **En Amérique du Nord**
- ( ) **En Amérique du Sud**
- ( ) **En Inde**

Question 148

À quelle famille d'animaux appartiennent les chats ?

- ( ) **Les félinés**
- ( ) **Les félicés**
- ( ) **Les félidés**

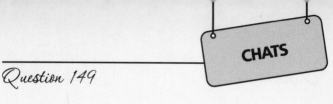

Question 149

Quelle est la couleur du pelage du chat rubigineux?

○ **De couleur rousse**

○ **De couleur blanche**

○ **De couleur noire**

Question 150

Lequel de ces chats retrouve-t-on particulièrement en Inde?

○ **Le chat angora**

○ **Le chat rubigineux**

○ **Le chat de Biet**

SOLUTIONS

Question 1

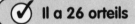 De couleur rouge

Question 2

Il a 26 orteils

Question 3

Le bengal

Question 4

Le chat du désert

Question 5

✓ **De couleur verte**

Question 6

✓ **Un chat sauvage des milieux arides**

Question 7

✓ **Le chat à tête plate**

Question 8

✓ **Ses pattes sont palmées**

CHATS

Question 9

 En Asie

Question 10

✓ **Entre 6 et 17 lb**

Question 11

✓ **Colocolo**

Question 12

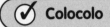 **Du Sri Lanka**

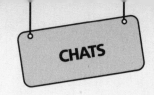

Question 13

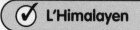 **L'Himalayen**

Question 14

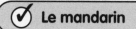 **Le mandarin**

Question 15

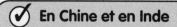 **En Chine et en Inde**

Question 16

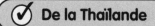 **De la Thaïlande**

Question 17

✓ **Le minskin**

Question 18

✓ **Le serval**

Question 19

✓ **250**

Question 20

✓ **De 12 à 14 heures**

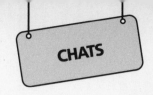

Question 21

✓ 2

Question 22

✓ Une robe calico

Question 23

✓ Le gène responsable de l'absence de pigments dans le poil

Question 24

✓ 290 degrés

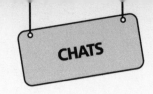

Question 25

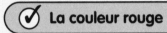 La couleur rouge

Question 26

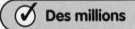 Des millions

Question 27

 3

Question 28

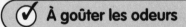 À goûter les odeurs

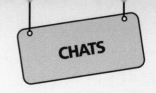

Question 29

✓ **Par les phéromones**

Question 30

✓ **Le siamois**

Question 31

✓ **De 12 à 16 heures**

Question 32

✓ **Quand il se bat**

Question 33

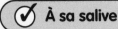 À sa salive

Question 34

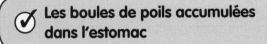 Les boules de poils accumulées dans l'estomac

Question 35

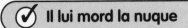 Il lui mord la nuque

Question 36

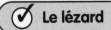 Le lézard

Question 37

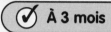 À 3 mois

Question 38

À 6 mois

Question 39

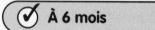 Dès ses premières chaleurs

Question 40

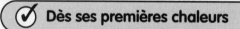 Du printemps à l'automne

Question 41

✓ **De 63 à 65 jours**

Question 42

✓ **De 5 à 15 secondes**

Question 43

✓ **0,3 lb**

Question 44

✓ **La surdité**

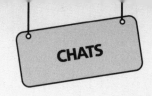

CHATS

Question 45

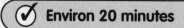
✓ **Environ 20 minutes**

Question 46

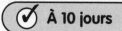
✓ **À 10 jours**

Question 47

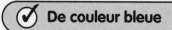
✓ **De couleur bleue**

Question 48

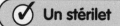
✓ **Un stérilet**

CHATS

Question 49

✓ **La castration**

Question 50

✓ **Des maladies transmissibles à l'homme**

Question 51

✓ **La leucémie**

Question 52

✓ **De 14 à 18 ans**

Question 53

✓ À 38 ans et 3 jours

Question 54

✓ Vers 9000 à 2000 av. J.-C.

Question 55

✓ Les deux

Question 56

✓ Freyja

Question 57

 Bastet

Question 58

 La maternité, la musique et la joie

Question 59

 Un marché aux chats

Question 60

 Les Romains

Question 61

☑ Sa fourrure

Question 62

☑ Le reflet de la lumière dans ses yeux qui passait pour les flammes de l'Enfer

Question 63

☑ Au mal

Question 64

☑ Du Moyen Âge

CHATS

Question 65

✓ **Mohammed**

Question 66

✓ **Deux petits chats brésiliens**

Question 67

✓ **François-Augustin de Paradis de Moncrif**

Question 68

✓ **Un chartreux**

Question 69

✓ **Un persan blanc**

Question 70

✓ **Parce que les sorcières pouvaient se changer en chat neuf fois**

Question 71

✓ **Le diable**

Question 72

✓ **Le mouvement anarchiste**

Question 73

✓ **Orangey**

Question 74

✓ **Un porte-bonheur**

Question 75

✓ **De quelqu'un**

Question 76

✓ **Par la patte**

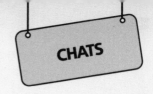
CHATS

Question 77

✓ Il ne faut pas réveiller le chat qui dort

Question 78

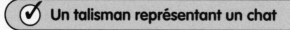
✓ Un talisman représentant un chat

Question 79

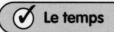
✓ Le temps

Question 80

✓ Hodge

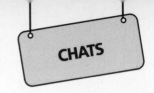

Question 81

✓ Eponine

Question 82

✓ Colette

Question 83

✓ Oscar

Question 84

✓ La mère Michel

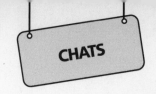

Question 85

✓ **Delilah**

Question 86

✓ **9**

Question 87

✓ **Le mystère des chats peintres**

Question 88

✓ **Les souris**

Question 89

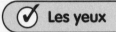 **Les yeux**

Question 90

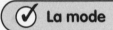 **La mode**

Question 91

 Oui

Question 92

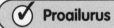 **Proailurus**

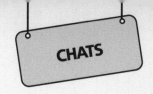

Question 93

✓ 9 millions

Question 94

✓ La peine de mort

Question 95

✓ À détecter des changements dans l'air

Question 96

✓ L'entrée des chats comme animal de compagnie dans l'aristocratie

Question 97

 Elle aggravait les épidémies de peste noire

Question 98

 Louis XV

Question 99

 That Darn Cat!

Question 100

 Catwoman

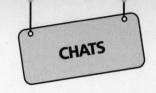

Question 101

✓ Félix le chat

Question 102

✓ Dansent

Question 103

✓ Gris

Question 104

✓ Rat

Question 105

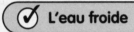 **L'eau froide**

Question 106

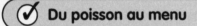 **Du poisson au menu**

Question 107

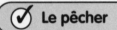 **Le pêcher**

Question 108

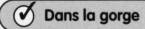 **Dans la gorge**

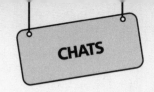
Question 109

> ✓ **Fouetter**

Question 110

> ✓ **Être comme chien et chat**

Question 111

> ✓ **Edgar Allan Poe**

Question 112

> ✓ **Un chat détective**

Question 113

✓ Les lasagnes

Question 114

✓ Le chat pêcheur

Question 115

✓ Le chat norvégien

Question 116

✓ Le chat marbré

Question 117

✓ **Le manx**

Question 118

✓ **Le lundi**

Question 119

✓ **Le Chat de Geluck**

Question 120

✓ **Silvestre**

CHATS

Question 121

✓ Tom

Question 122

✓ Hercule

Question 123

✓ Azraël

Question 124

✓ Le voleur

Question 125

✓ *Le portrait de Magdaleine Pinceloup de La Grange*

Question 126

✓ **Diego Giacometti**

Question 127

✓ **Léon Huber**

Question 128

✓ **Nozan**

CHATS

Question 129

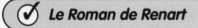
Le Roman de Renart

Question 130

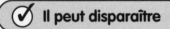
Il peut disparaître

Question 131

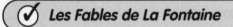
Les Fables de La Fontaine

Question 132

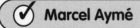
Marcel Aymé

Question 133

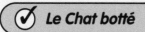
Le Chat botté

Question 134

Pelotes

Question 135

De 8 à 10 pouces

Question 136

Cats

Question 137

✓ Félicette

Question 138

✓ Muezza

Question 139

✓ Socks

Question 140

✓ Victor Hugo

Question 141

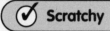 Scratchy

Question 142

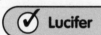 Lucifer

Question 143

 Mittens

Question 144

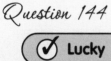 Lucky

Question 145

✓ **Pattenrond**

Question 146

✓ **Snowbell**

Question 147

✓ **En Amérique du Sud**

Question 148

✓ **Les félidés**

Question 149

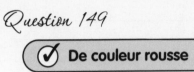 De couleur rousse

Question 150

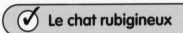 Le chat rubigineux

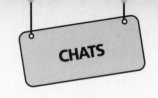

CHATS

Notes: _____

_____
_____
_____
_____
_____
_____
_____
_____
_____
_____
_____
_____
_____
_____
_____
_____
_____
_____
_____
_____
_____
_____
_____
_____

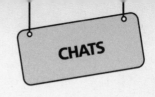

CHATS

Notes: _____

_____
_____
_____
_____
_____
_____
_____
_____
_____
_____
_____
_____
_____
_____
_____
_____
_____
_____
_____
_____
_____
_____
_____
_____
_____
_____

CHATS

Notes : _____

_____

_____

_____

_____

_____

_____

_____

_____

_____

_____

_____

_____

_____

_____

_____

_____

_____

_____

_____

_____

_____

_____

_____

_____

_____

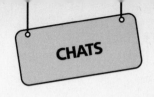

CHATS

Notes: _____

_____

_____

_____

_____

_____

_____

_____

_____

_____

_____

_____

_____

_____

_____

_____

_____

_____

_____

_____

_____

_____

_____

_____

_____

CHATS

Notes: _____
_____
_____
_____
_____
_____
_____
_____
_____
_____
_____
_____
_____
_____
_____
_____
_____
_____
_____
_____
_____
_____
_____
_____
_____
_____
_____
_____

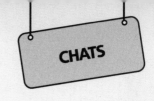
CHATS

Notes: _____
_____
_____
_____
_____
_____
_____
_____
_____
_____
_____
_____
_____
_____
_____
_____
_____
_____
_____
_____
_____
_____
_____
_____
_____
_____
_____
_____

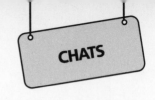

CHATS

Notes: _____

_____

_____

_____

_____

_____

_____

_____

_____

_____

_____

_____

_____

_____

_____

_____

_____

_____

_____

_____

_____

_____

_____

_____

_____

_____

Notes: _____

_____

_____

_____

_____

_____

_____

_____

_____

_____

_____

_____

_____

_____

_____

_____

_____

_____

_____

_____

_____

_____

_____

_____

_____

Vous avez aimé les 150 questions sur les chats ?

Découvrez les autres sujets de la collection et continuez à tester vos connaissances !

150 Questions DE CULTURE GÉNÉRALE

150 Questions SUR LES GRANDES INVENTIONS

150 Questions SUR LE HOCKEY

150 Questions SUR L'HISTOIRE DU QUÉBEC

150 Questions POUR LES BABY-BOOMERS

150 Questions SUR LA GASTRONOMIE

150 Questions SUR L'UNIVERS DISNEY